Pour Bryony et Leonie

Traduit de l'anglais par Elisabeth Duval

ISBN 978-2-211-04347-2
© 1998, l'école des loisirs, Paris pour l'édition dans la collection *lutin poche*
© 1995, Kaléidoscope, Paris, pour la version française
© 1994, David McKee
Titre original : « Elmer and Wilburd » (Andersen Press Ltd.)
Loi n° 49 956 du 16 juillet 1949 sur les publications
destinées à la jeunesse : mars 1995
Dépôt légal : août 2007
Imprimé en France par Mame Imprimeurs à Tours

David McKee

Elmer et Walter

Kaléidoscope
lutin poche de l'école des loisirs
11, rue de Sèvres, Paris 6ᵉ

Elmer, l'éléphant bariolé, attendait
la visite de son cousin Walter.
« Il est tard », dit Elmer. « Peut-être
s'est-il perdu en chemin. Partons
à sa recherche. »

« À quoi ressemble Walter ? » demanda un éléphant.
« Tu verras bien », s'esclaffa Elmer. « Mais attention, Walter
aime faire des farces, surtout avec sa voix. Il est ventriloque.
Il peut donner l'illusion que sa voix vient d'ailleurs,
qu'elle vient de n'importe où, sauf, bien sûr, de l'endroit
où il se trouve. »
« C'est amusant », dit un éléphant tandis qu'ils exploraient
la forêt. « C'est comme une partie de cache-cache. »

Ils cherchaient de tous côtés et criaient : « Ohé ! Walter ! »
Une réponse leur arriva enfin : « Je suis là ! »
Ils se précipitèrent vers l'endroit d'où venait la voix ;
mais au lieu de Walter, ils trouvèrent un tigre assez surpris.
« Vous me cherchez ? » demanda-t-il. « Pardon », dit Elmer.
« Nous pensions que tu étais mon cousin. »
« Très drôle, Elmer », répliqua le tigre. « Mais n'est-ce pas
justement ton cousin que j'entends crier au loin ? »

«Au secours!» appelait la voix. «Au secours!
Je suis tombé dans l'étang.»

«C'est vrai, il est tombé! Je peux même le voir!»
dit un éléphant.

«Gros bêta», dit Elmer. «C'est ton propre reflet.
Continue de chercher, il est tout près, mais
ce n'est malheureusement pas le son de sa voix
qui nous guidera.»

Ils cherchaient et cherchaient, et à chaque fois qu'ils se dirigeaient d'un côté, la voix arrivait d'un autre côté. Elle disait : « Coucou ! Je suis là ! » ou bien « Hou ! » pour les faire sursauter. Elle sortit même d'un terrier. Les lapins déguerpirent en couinant : « Ce n'est pas drôle, ce n'est pas du tout drôle, c'est même franchement bête. »

«Après de longues recherches, un éléphant déclara à Elmer :
« Nous ne le trouverons jamais, Elmer, nous ferions mieux
de dire *pouce.* »
« Walter », cria Elmer, « *Pouce.* Tu peux sortir maintenant. »
« Je ne peux pas, je suis coincé dans un arbre. »
La voix de Walter planait au-dessus de leurs têtes.
Ils pouffaient tous de rire.
« Il est très malin », dit un éléphant.

« Si tu ne viens pas », dit Elmer, « nous serons obligés
de rentrer à la maison sans toi. »

« Je suis vraiment coincé dans un arbre », dit la voix de
Walter.

Les éléphants se tordaient de rire. « Elmer », dit un éléphant,
« est-ce que Walter est noir et blanc ? »

« Oui, pourquoi ? » demanda Elmer.

« J'ai levé la tête. Il est vraiment coincé dans un arbre. »

Les éléphants levèrent tous la tête.
Et ils virent Walter, dans un arbre.
« Walter », s'exclama Elmer, « comment diable es-tu
arrivé là-haut ? » « Peu importe comment je suis arrivé
là-haut », répliqua Walter. « Dis-moi plutôt comment
je fais pour redescendre. »

« Je n'en ai pas la moindre idée », dit Elmer. « Mais nous avons faim et nous rentrons à la maison prendre une petite collation. Au moins nous savons où te trouver maintenant. Au revoir, Walter. À demain. »

Et Elmer s'éloigna, suivi des autres éléphants.
« Oh ! Elmer ! » supplia Walter. « Ne me laisse pas.
Je meurs de faim. »

«Ah ! Ah ! Je te taquinais », s'esclaffa Elmer en revenant
sur ses pas. « Si tu marches le long de cette branche,
elle ploiera sous ton poids et nous pourrons t'aider. »
Walter marcha doucement le long de la branche
et elle commença à ployer. Les éléphants l'enlacèrent
de leur trompe et la courbèrent jusqu'à terre.
Walter n'avait plus qu'à se laisser guider.

« Merci », dit Walter, « mais n'as-tu pas parlé d'une petite collation tout à l'heure ? » Les éléphants rirent à trompes déployées, et ce fut à qui arriverait le premier à la maison.

Ce soir-là, juste avant de s'endormir, Elmer dit :
« Bonne nuit, Walter. Bonne nuit, Lune. »

Une voix qui semblait venir de la lune répondit : « Bonne nuit, les éléphants.
Faites de beaux rêves. » Elmer sourit et demanda tout bas : « Walter,
comment diable as-tu grimpé dans l'arbre ? » Mais Walter dormait déjà.